北京古籍叢書

[清] 麟慶 著文 [清] 汪春泉 等 繪圖

鴻雪因緣圖記

第二册

圖書在版編目（CIP）數據

鴻雪因緣圖記．第二册 /（清）麟慶著文；（清）汪春泉等繪圖．— 北京：北京出版社，2018. 2

（北京古籍叢書）

ISBN 978-7-200-13580-0

Ⅰ．①鴻… Ⅱ．①麟… ②汪… Ⅲ．①古典散文—散文集—中國—清代 Ⅳ．① I264. 9

中國版本圖書館 CIP 數據核字（2017）第 282813 號

項目策劃：安　東　　項目統籌：許　可

責任編輯：喬天一　許　可　　責任印製：宋　超

裝幀設計：郭　宇

北京古籍叢書

鴻雪因緣圖記

第二册

［清］麟慶　著文

［清］汪春泉　等　繪圖

出　版　北京出版集團公司
　　　　北京出版社

地　址　北京北三環中路六號

郵　編　一〇〇一二〇

網　址　www.bph.com.cn

總發行　北京出版集團公司

經　銷　新華書店

印　刷　北京京華虎彩印刷公司

開　本　八八〇毫米×一二三〇毫米　三十二

印　張　九點七五

字　數　一二一千字

版　次　二〇一八年二月第一版

印　次　二〇一八年二月第一次印刷

書號　ISBN 978-7-200-13580-0

定價　98.00 圓

凝香室鴻雪因緣圖記目錄

長白麟　慶見亭氏著

第一集下册

史館承恩

史館承恩

道光元年，歲次辛巳開館，恭修

仁宗睿皇帝實錄，麟慶以詹事府中允充纂修官，時曹

儷笙師為監修，英煦齋師及伯玉亭、諱麟，滿洲舉人，時官大學士，後卒，謚文慎。汪瑟菴、諱廷珍，江蘇榜眼，時官尚書，後晉協辦大學士，加太子太師，卒謚文端，入祀賢良祠。文秋潭、諱孚，蒙古，繙譯生員，時官尚書，後晉大學士，軍機大臣，卒謚文清，入祀賢良祠。三先生為稾本總裁，每閱余草創各卷，多所許可。尋委兼攝提調，又

奏充漢書總纂修官。小春下浣，風雪連朝，

上念館臣衝寒儤直，頒賜綾錦，人各二端。越月又

賜磁器八件。比除夕，
特賞麟慶福元膏一瓶、果脯一盒、鹿一尾，赭鱸、野雞各
一對。拜領持歸，合家戴
德，賦詩紀之。其一曰：風雪連朝緊，
君恩幸早承。攢花團蜀錦，卍字豔吳綾。赤紱誇新得，青
衫記舊曾。慚無才學識，銜凜一條冰。其二曰：
賜衣拜領未裝棉，又錫琳琅滿正筵。采爛雲霞輝
舜旦，文分篆隸認
堯年。漫誇色映茱萸淺，且喜盤堆苜蓿鮮。自愧儒臣無報
稱，連朝時詠紀

恩篇。其三曰：爆竹聲中報歲新，

天廚頒到許多珍。鹿餐芝草豐華尾，魚出松花（江名）簇錦

鱗。拜

賜且欣嘗異味，持歸共喜沐

恩綸。小人有母供甘旨，來日辛盤好薦春。

禹門激浪

禹門激浪

初吾

父之守泰安也，在任七載，多惠政，考滿卓異，部議格於例未行，尋因病乞歸。庚辰三月，攜眷北上。麟慶迎於涿州南皐邨旅店，恭侍湯藥。四月初四日棄

養。謹視含斂，奉

櫬還京，葬東直門外酒仙橋北

祖塋。越二載，壬午八月服闋，得江南畫史張仙槎（名寶，上元，布衣。）書，并寄贈龍門激浪圖一幅，其言曰：寶幼有畫癖，年二十即棄舉子業，客遊京師及楚、越、齊、晉，

每遇佳山水，輒仿各名家筆法，摹成三十六幅，號曰泛槎。憶自己巳在法時帆學士（諱式善，蒙古，進士。）宅識荊，清才亮特，英氣逼人。後遊山左，路出泰安，謁尊大人，荷蒙資具，一登泰嶽，而寶顧遊五嶽之志始遂。今聞宮允祥琴已進，特繪龍門圖奉寄，爲平地升雷之祝。寶年六十，行且艤槎白門，以筆墨爲自食計，語云：閒來寫幅丹青賣，不使人閒造孽錢。惟願異日南來，早迎旌節云云。余展畫，見峭壁參天，豁然中闢，風雷激響，漱石分流。上題一詩曰：禹門雙峙挾黃河，萬里洪濤數疊過。自古畫師難到此，我來奇蹟、一摟羅懸之素壁，直覺河聲山色，滿室生寒。會徐瑞齋雲麾（名呈祥，漢軍人，以畫馬得邀睿賞。）郎蘇門太史（名葆辰，浙江進士，後官布政使，以畫蠏名。）來訪，均以為深得關仝筆意。而余果於是冬外轉，近又歷仕河干，竟成畫讖，故特摹而存之。

秋寻柘潭

潭柘尋秋

京都山水佳境，半歸寺觀，而以碧雲、香界、潭柘為尤勝。碧雲寺在香山靜宜園側，遊蹤難到。香界寺在翠微山，余曾於戊寅秋九偕集堂妹丈（名衍榮，漢軍，舉人，今官知州。）一遊，獨潭柘寺，耳熟其名，未履其地，胸中時結一碧癖。壬午秋，門人周蓉裳、（名鑅，浙江，舉人，後官同知。）管椒軒、（名遹羣，江蘇，進士，後官巡撫。）張孟皋、（名枚，直隸，生員，後官縣丞。）長彭如、（名年，漢軍，舉人，後官知縣。）張子萬、（名宗裕，廣東，舉人，後官知縣。）左青之（名湘，湖南，優貢。）治具，請再遊翠微。因登盧師山，問秘魔崖。相傳崖為師馴大青、二青處。

池水湛碧，雙柏不彫不榮。日暮，自崖而返，宿證果寺。翌辰，又抬遊潭柘，遂相與度羅睺嶺，易輿以馬，出叢棘中，仰天如線。可五六里，顛山四合。復里許，山開，九峯寺當其中，晉名嘉福，唐曰龍泉，諺云：先有潭柘，後有幽州。蓋最古云。康熙間，

聖祖臨幸，更名岫雲。旁建

行宮，有猗玕亭、延清閣，太古堂諸勝。俗傳寺本海眼，殿基即潭。唐時華嚴尊者説法，龍來聽經，願捨潭為寺。一夕大風雨，龍徙潭平，而至今泉仍涓涓不息。柘已久枯，高八九尺，上覆丸亭。其畫壁及殿上

鴟吻，工巧絶倫，傳是金、元故物。時山樹生香，秋林染豔，間以琳宫石塔，濃淡相兼，自是紅塵仙境。因同坐寺門數登高故事，共得四十餘則，蓋是日正重陽也。

夢薌談易

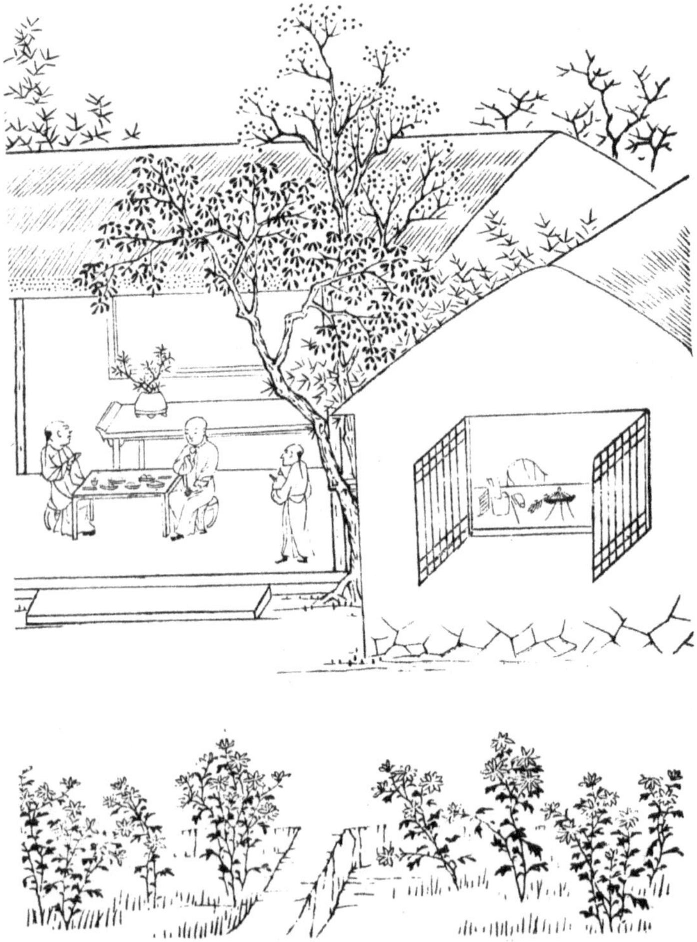

夢薌談易

京師以藝菊名者，羣推握觿堂給諫、名克精額，滿洲人。趙象庵舍人，名鉽，直隸人。余均因閒處光陰主人，名惠林，滿洲，布衣。得往訪之，細品其花。一日在館，論及菊種，文夢薌名通，滿洲，侍衛，薦修清書，充纂修官，後官總兵。自言家有異種，邀余往觀，遂造其廬，頗饒逸趣。因治具小酌，縱談象數。夢薌謂水滸亦由易象參入，余訝未之前聞，因錯舉宋江、李逵、劉唐相質。答曰：宋江，訟也，天水訟，故號及時雨，刀筆吏出身，取訟象，人事起於訟，故以之為首。李逵，井也，水風井，故號黑旋風。訪柴進入井，迎母入井，取井象。劉唐，鼎也，火風鼎，故號赤髮鬼。縛之供桌，取鼎象。又問：水滸祇三女，扈三娘號一丈青，何義？答曰：卦止三陰，故以顧大嫂、孫二娘、扈三娘象之。三娘，歸妹也，雷澤歸妹，震三、兌七，合成一丈，震居東方，其色屬青。扈成之妹，歸於王英，取卦象耳。再問，則笑而不答。時族兄蕉圃（名雙保，生員，後官衛千總。）方應童試，戲書他字請占。答曰：人立半池，進矣。尋果驗。夢薌蓋深於邵子之學，而以武職自韜其光者。凡所占驗，時出新穎，尤令人解頤云。

史宬启匱

皇史宬石室，在東華門内東南隅，前明建，以藏訓政，

國朝因之，尊藏

實錄、玉牒，有

高宗聖製詩碑。會典：凡

實錄告成，例應恭繕四分，錦衣牙籤，其飾如一，行款花樣，

每部各殊。

皇史宬尊藏之黃綾本，向用蝴蝶裱式。壬午春，總裁

奏請启匱，查看舊式。得

旨：著曹振鏞選帶翰林官二員，親往查閱。遂率麟慶及

沈鼎甫學士（名維鐈，浙江，進士，時充提調，今官侍郎。）同詣

皇史宬，由⿰金書歷右門入，焚香九叩首，恭启

金匱，展閱尊藏各本。末學詞臣，得瞻柱史，曷勝榮幸。

謹按：宬與盛同義。莊子：以匡宬矢。說文：宬，屋所容受也。然殿宇命名，於斯僅見。至⿰金書字，古書無攷，惟字彙補音龍，皆明嘉靖帝所手書。時在館同充提調者，貴雲溪師許青士、（名乃濟，浙江，進士，後官光祿卿。）吳仲雲（名振棫，浙江，進士，今官按察使。）胡芸閣（名達源，湖南，探花，後官詹事。）三編修，同充總纂纂修校勘畫一者，周石芳、（名系英，湖南，進士，官侍郎。）白小山、（名鎔，順天，進士，後官尚書。）姚伯昂（名元之，安徽，進士，後官都御史。）三學士，

德靈皋侍講，（名興，滿洲，進士，後官侍郎。）蔣笙陔修撰，（名立鏞，湖北，狀元，後官內閣學士。）祁春圃、（名寯藻，山西，進士，今官尚書。）許滇生（名乃普，浙江，榜眼，今官尚書。）二編修，鄭禮耕檢討（名植行，江蘇，進士，後官庶子。）也。

盧溝策騎

盧溝策騎

道光壬午京察，詹事　奎東垣、（諱昌，滿洲，舉人，後官内閣學士。）惠榕圃、史望之
徐少鶴，（諱頲，江蘇，榜眼，後官内閣學士。）少詹（名致儼，江蘇，會元，後官尚書。）四先生，公薦一等，註考曰：品學兼
優，才具明練。奉
旨：加一級。七月初六日，
硃筆特名見於
乾清宮西煖閣，十月，復帶記名。十二月，
簡授安徽寧國府遺缺知府。乃稟命吾
母，單騎之任。癸未正月出都，仲文、季素兩弟偕鄭湘

畹，名汝楫，浙江，舉人，後中進士，官知縣。周受堂名錫祺，順天，舉人，後官靈臺郎。二同年，恒敬亭內弟，名誠，滿洲，廕生，官讀祝官。族叔栩溪公，名蘊秀，舉人，後中進士，官知州。兄蕉圃，弟善甫，名雙勝，廪貢，後官筆帖式。建侯，名麟定，生員。同送至常新店。余策馬盧溝，製詩紀事，得屏山輝早旭，驛路散春明。吾斯猶未信，何以答昇平。又留別仲文、季素兩弟，得：宦海兄先涉，家庭仗弟賢。相期各努力，借以慰高年。等句。蓋宦遊自此始矣。按：盧溝即桑乾河，在拱極城西，為京師出入孔道。橋建於金大定二十九年，至明昌三年始成。長二百丈有奇，左右雕闌，陸以百獅，俯仰殊狀。尤奇者，往來人以策數之，輒隱其一。
國朝康熙間重修，賜河名曰永定。乾隆又修，均有
聖製文，勒碑橋頭，各建一亭覆之。又盧溝曉月為燕山八景之一。

紅橋探春

紅橋探春

余幼讀王文簡公集，至：舟入紅橋路，垂楊面面風。銷魂一曲水，終古傍隋宮。心焉慕之。嗣往來揚州者四度，終未得一艤平山，竊以為無緣再遊矣。比官內閣，高蘭墅侍讀持贈一扇，郎繪公官揚州司李，邀諸名士紅橋修禊，賦冶春詞故事。瑞芸卿（名林，宗室，己巳同榜進士，官翰林侍讀學士。）見而稱賞，手書二詩於後幅。一云：官舫銀燈賦冶春，廉夫才調更無倫。玉山筵上頹唐甚，意氣公然籠罩人。一云：休從白傅歌楊柳，莫向劉郎演竹枝。五日東風十日雨，江樓齊唱治春詞。蓋卽當日陳其年、名維崧，宜興，諸生，舉鴻博，官檢討。宗梅岑、名元鼎，興化，布衣。之作也。故老風流，於焉可想。攷紅橋為元崔伯亨花園，後歸洪氏，分大小二園，巻石洞天為小，紅橋修禊為大，卽賦治春詞處。乾隆間，

高宗南巡，賜名倚虹園。內有妙遠堂、飲虹閣、領芳軒、修禊亭諸勝。近水築樓二十餘楹，抱灣而轉，令遊者惝怳莫測，實為平山水居最大且勝處。中五楹，

御書致佳樓額，並花木正佳二月景，人家疑近武陵溪楹帖。園門屏上刻紅橋修禊四字，大徑尺，為椰冠道人書。癸未二月初，道經揚州，鼓棹往遊，朱欄跨水，

綠樹在堤旁，倚名園，疎樊掩映，與扇頭風景無二。所惜清波繞綠，花信含紅，春意將來，古人已往，而鴻雪因緣勝遊，不可不紀，遂移扇作圖云。後余在汴梁購得玉鐫

御書楹帖，與致佳樓聯句合，因尊藏半畝園中，亦奇緣也。

沅雲臣綸圖言

燕子揚帆

燕子揚帆

癸未二月，余放船瓜步，將溯江而上。會為石尤所阻，已三日矣。夜夢一樓船順流而下，旌旗鼓吹，儼然貴官，因往謁。主人三，出而肅客。一貌甚慈豫豐滿，一少帶威武氣，均古衣冠，一白晳清臞，服一品服。既入坐而獻茶，寒温久之，余述及阻風。主人曰來日行矣。遂送回舟。忽聞挂帆聲，一驚而寤，舟已開行。瞬息間過黄天蕩，惟聞波濤直撲船頭，劃然有聲。辰刻抵觀音山燕子磯，滿擬一探其勝，風利甚，不得泊。遥望磯上有亭，其旁永濟寺及行宮，殿宇壯麗，金碧輝映。觀音閣則就江唇交豎丹柱棚棧構成，繫以鐵絙，尤爲馮虛妙境。因朗吟云：

磯形如燕子，俯瞰大江流。寺鎖孤舟穩，山含六代愁。綠皴煙外樹，紅擁水邊樓。洞啟蓬窗望，揚帆未得留。

吟罷，覺山影如馳，蘆荻蕭蕭，不禁有乘長風破萬里浪之想。未刻過龍江關，風愈急，帆持滿不得下，一葉欹播，與拜浪之魚同其出沒，舟人大恐。比抵西梁山，洪流淜湃，夜色昏黑，惟漁燈數點，明滅波際。余亦識泛江之險，頓生戒心。既而風止波恬，人聲囂雜，蓋已泊矣。計是日行逾三日程，實嘗神佑云。

大觀醉雪

大觀醉雪

余之初抵皖省也，交遊既寡，僕從無多，寓居城北觀音禪林，除應官聽鼓外，惟閉門讀律而已。會春寒釀雪，寺僧松隱，風雅人也，邀往大觀臺，遂乘輿同行。臺在城南八卦門外，前臨大江，後倚龍山，旁有余忠宣公祠墓，其東為臨江寺，有塔有樓。比登臺，憑欄四望，見黑雲堆絮，冷豔欺花，瓊島瑤林，豁人心目。隨讀楹帖云：距太白樓之上，駕瓦排雲，凭畫檻一慰鄉愁，已漸近鍾阜晴巒，六朝城郭；溯彭蠡湖而西，鷺濤飛雪，喚沙鷗共談宦跡，最難忘峨嵋春水，萬里風帆。為汪芝亭太守（名恩，江蘇，進士。）撰芝亭籍隸上元，作宦西蜀，故吐屬風雅，別有會心。松隱乃具伊蒲之饌，陳竹青之酒。余獨放懷暢飲，既而風雪愈甚，江山失色，俯仰千古，俱成陳跡，不禁慷慨係之。因吟詩曰：任他雪虐與風饕，偏我登臨興獨豪。雁汊波翻銀浪急，龍山寒矗玉峯高。壯懷磊落傾林酒，浩劫銷沈問寶刀。憑弔遺忠傷往事，長松怒吼墓門濤。詩成被酒酣卧，比醒，江風漸息，山月東升，緩步歸寺，已漏下三鼓矣。

隐仙聽琴

隱仙聽琴

癸未三月，奉檄赴蕪湖、當塗二縣，踏勘江洲。便道至江寧省城，寓承恩寺，遇陳曉峯、（名照，四川，進士。）高初亭、（名惟澤履，江西，進士。）王孚遠、（名惟誠，山東人，戊辰同榜舉人，後官道員。）小華（名惟詢，孚遠弟，進士，後官按察使。）四太守，同謁制府。退衙後，余獨徧訪長干塔、雨花臺、高座寺、雞鳴埭、清涼山、四霞閣諸勝。遂信步至陶谷款隱仙菴，山門半掩，推之竟入。雙桂婆娑，綠影在地。室中琴聲、棋聲，與院中風聲、鳥聲，參錯並奏。乃悄立桂樹下，琴聲忽止。一羽士搴簾肅客，相邀入室。見一老羽士與客對枰，投子而起，延坐餉茶。詢知客徐生，道士一王璞山，一張雪堂也。叩以隱仙何指，乃言梁陶貞白舊居，明初冷鐵腳、尹蓬頭均曾來遊此菴。余因請譜一曲，雪堂笑允，遂抱琴相導，同至一園，牡丹初放，疎樊曲檻，花香襲人。乃橫之石几，端坐調絃，撫圯橋三進履、平沙落雁、關雎三曲。璞山徒倚花前，朗吟舊作。余見亭中置有筆墨，因題一詩，曰：繁林陰翳路三义，來訪山中宰相家。寂歷千年梅有骨，（菴有六朝梅一株。）婆娑雙影桂無花。敲殘棋局閒題墨，緩住琴絲細品茶。消盡人間清靜福，我來心已醉煙霞。

随園訪勝

隨園訪勝

余既探隱仙之趣，仰視夕陽在山，振衣將行。王璞山曰：君曾到隨園否，答曰未也。璞山乃東指一塔曰：此即小倉山，其麓有園，本隋尚衣創建，因姓命名。乾隆間，袁子才太史闢而新之，改名曰隨，音同字異。先後曾撰六記，其自言曰：吾園奧如曠如，一房畢一房復生，雜以鏡光晶瑩澄澈，迷於往復，宜行宜坐。高樓障西，清流洄洑，竹萬竿如綠海，蘊隆宛暍之勿虞，宜於夏。琉璃嵌窗，目有雪而坐無風，宜於冬。梅百枝，桂十餘叢，月來影明，風來香聞，宜於春秋。長廊相續，雷電以風，無庸止足，則又與風雨宜。今太史往矣，園雖荒而景如故，君盍往觀。余應曰諾。尋徑抵園，則見因山為垣，臨水結屋，亭藏深谷，橋壓短堤，雖無奇偉之觀，自得曲折之妙，正與小倉山房詩文體格相仿。按太史名枚，浙江錢塘人，乾隆己未會試出余 叔高祖松裔公門下。太史曾為公立傳，極感薦主兼座主之恩，載小倉山房文集中。惜余生也晚，未得一謁於園。再公門下士歷膴仕、享文名者，指不勝屈，而先生與沈歸愚尚書、名德潛，江蘇，進士。 齊次風侍郎名召南，浙江，副榜，薦試鴻博，授檢討。

尤稱鼎足云。

莫愁尋詩

莫愁尋詩

莫愁湖在江寧水西門外。寰宇記謂，昔有妓盧莫愁居此，故名。臨湖有樓三楹，顏曰勝棊。相傳明太祖與中山王徐達弈，戲以為注，遂輸湖為賜莊。至今漁稅仍歸徐氏，年久樓圮。乾隆時，李松雲太守葺而新之。余於遊山後出城，入華嚴寺，徑登湖樓，則見荷錢貼水，柳線織煙，城倚石頭，波光明媚。樓上奉中山王，赭袍金冠，英風勃勃。樓下懸莫愁像，雲鬟花貌，仙骨珊珊。寺僧恒峯取所編莫愁湖風雅集相示，并乞留題。余即席成櫂歌八首。其詞曰：

繁華消盡水東流，眼底江山六代愁。留得一湖風景好，美人名字占千秋。其一

百戰功封異姓王，風流也愛鬱金堂。一枰贏得新湯沐，高築湖樓對水光。其二

中山遺像供當中，毛髮森森想鄂公。添箇莫愁樓下坐，美人長此伴英雄。其三

王孫索稅日相呼，豔說當年賜此湖。畢竟美人高雅甚，清風明月作新租。其四

當時樓閣久銷磨，太守重新賦櫂歌。試問秦淮衣帶水，清光爭及此中多。其五

波平如鏡媚新晴，水不通潮徹底清。更有清涼山色好，黛眉濃抹石頭城。其六

琳琅滿壁貼吟箋，多少遊人紀勝緣。老衲

手編風雅集，不教零落化春煙。其七一麾竟得領新安，喜向溪山結大歡。今日先從湖上過，莫愁春色耐人看。其八是日得補徽州信，故及之。

翠微問月

翠微問月

翠微亭在清涼山頂。山在金陵城內西北隅，高據石頭，下臨大江，上有寺曰清涼，建於吳。宋改廣惠。其東有樓曰掃葉，西有閣曰江天一線。巔則亭也，南唐時建。舊藏有董羽畫龍，李後主八分書，李霄遠草書，稱三絕。余於抵金陵日，先登此亭，見三山峙於西南，秦淮中亘。東南一塔，金輪聳出雲表，雄麗冠于浮圖。城內廣衢修巷，甃石如澣，江潮通城，艅艎便利。市廛輻輳，空無遊塵。城外則長江自西而東，沙洲綿渺。帆影出沒煙樹中，隱隱如畫，令人蕭然意遠。尋入寺訪問古蹟，已不可得。越三日，將返皖江，張芳樹戶曹（名楠，上元膳錄，今官知府。）招余小酌，述及秦淮韻事，全趁熱水，翠微妙境，尤在大月。飯罷，見長空貢碧，冰鏡騰輝，遂乘興再登清涼山翠微亭，俯視秦淮，燈舫往來如豆，其光熒然。而城外潮痕月色，茫茫作白，直如大雪垂江，冷意逼人。江北諸山，青靄四合，澹若煙霏。其城南數萬家，樓閣參差，燈火照耀，別是一番景象。時相從惟一僧、一僕，松風竹籟，颯然為秋，而朗徹清虛，恍坐我琉璃世界。爰呼僧而問以六朝故宮舊址，僧言空處皆是，不禁感慨係之。故余詩結句云：問僧僧不知，問山山不應，翹首問明月，滄桑幾變更。

采石放渡

采石放渡

采石磯突出江中，在太平府城西北二十里，一名翠蘿山，即古之牛渚也。其巔有亭曰燃犀，相傳晉溫嶠燃犀燭怪處。其半有寺曰廣濟，吳赤烏二年建。其麓有樓曰謫仙，以祀李白，葢白曾依李陽冰，歿葬於此。元和中，始改葬青山之北。樓下為酒肆，草書楹帖云：遊客到來須飲酒，先生在上莫吟詩。趣甚。瀕江絕壁有洞，為宋趙自然鍊眞之所，今奉三官。癸未四月，自江回皖，維舟磯下，因拜太白祠，觀逸民蕭尺木畫壁。所繪四大名山，雖已半就剝落，神韻奕奕猶新。遂登山至廣濟寺、燃犀亭探奇，抵三官洞，洞旁小閣曰妙遠，半跨危巖，半臨大江，乃架木為巢者也。道童啟地版請視，洑流瀢洞，指為中元水府最深處。忽一江豚突起，吹浪拜風，急掩版，而暴風自西北來，狂濤震撼，小閣若為動搖，滿江帆檣歷亂，爭投港汊，余急振衣，禱於

三官，許重來莊嚴法像。拜畢，風止，波平於鏡，舟行如織。因思吳孫權之移兵，隋韓擒虎之宵濟，宋曹彬之徑渡，明常遇春之躍登，此為天塹，在所必爭，今則止戈為武，江山如畫矣。

白嶽祈年

白嶽祈年

癸未六月，奉檄赴徽州府任。時府屬大水，休寧、績溪均有蛟患。余入境，詢知白嶽元天太素宮奉
北極真武大帝為徽郡福主，乃屏輿從，齋宿登山。道眾執法器來迎，仙樂縹緲，恍如步虛。磴道盤折，拾級而升，至宮拜禱，仰瞻
聖像。志傳係百鳥銜泥塑成，屢經火患，一髮不燬。出殿仰視，宮後一山突起如屏者，齊雲巖也。夾屏二峯，左鐘右鼓。宮門外兩山遙峙，左獅右象。其直宮門數百步，挺然拔出蒼莽中，不與羣峯相屬者，香

罏峯也。東北人立數峯，堆翠如螺髻者，曰三姑。西北矯矯類力士舉金牛者，曰五丁。尋徑左轉為馴鹿洞，旁有泉曰飛雨。沿嶺右折為黑虎巖，其東聯巖如城，其上泉灑落如簾，為珍珠簾。前有碧蓮池，不溢亦不涸。乃便道下至天門，回視石壁有洞天福地四大字。自是蛟不為患，歲登大有。因紀以詩。曰：屏風九疊鬱青蒼，暢好閻浮大道場。簾洞珠垂疑是霧，罏峯雲起自生香。步虛處處聞天樂，攬勝人人拜佛光。入境我先登福地，願祈六邑盡豐穰。

歙嶺訪案

歙嶺訪案

余蒞徽後，奉司檄，驅逐棚民。竊以為在山覓食人衆，祇宜撫輯，乃易裝私訪。一日，步出東門，雇肩輿，託言將赴績溪，實欲察棚民疾苦也。行抵歙嶺，輿夫暫憩，余亦倚石小坐。會有擔盒過者，一夫識為葉九，呼問何往，答曰：赴郡送禮。一夫指問何人，曰此章先生家人，因爭白舍灣山場打官司，那本是五排公產，他仗司房得利，程、胡、汪、許四姓喫虧。他要獨占，仍上控不休。余聞而默識，猝問：章先生何名，曰瑞麟。司房何人，曰姓王。汝何由知此地，曰佃種多年。問何名，曰柯保。遂託言天將雨，肩輿回郡，厚賞留之。越日，提案呼出一証而服，乃斷歸公業，革章瑞麟衣頂，問杖，詳司尋奉司駁：章瑞麟係聽從其父章順貴作抱京控，該府何以請革，殊不可解。又程保等應照搶奪例問擬，等語。當即申復：年老之人，例許親屬代告，誣即坐罪。此案初次係章順貴京控，此次係章瑞麟自行出名，迥非作抱可比。即云作抱，其父年逾七旬，亦應按罪坐代告之例問擬。今奉指駁，誠有未解，豈欲施法外之仁，示以可引一家共犯、罪坐尊長之名例乎。查例載本罪與名例罪不同者，從本條科斷。至山業既勘係五排公產，則程姓有分，即不能與搶奪同科，應請照原議定案焉。

法言注卷四

昉溪迎母

昉溪迎母

梁任昉為新安太守，多惠政，嘗行春溪上，後人思之，名曰昉溪。溪水南流，合富、資水，過漁梁抵歙浦，西匯五邑之水為新安江。其中層巒傑石，散置波濤，行舟環曲，如出三峽。迤南更多湍險，有西門、柜木、矛角、陔口、梅花、車輪諸灘，約百餘里出境，則為浙江矣。余抵任後，察看屬邑，山多田少，產米不足，惟通浙一水，勝舟濟運，即出示嚴禁棚民開墾山田，勸諭商紳疏通河道，以防壅遏。爰於七月札寄都門，屬內子奉母南行，歸省常郡，迂道浙河，十二月舟次桐江。余聞報，駕小舟迎至深渡，隨侍溯流而上。吾母詳問風俗形勝，諭曰：昔漢詔云，共治天下者，惟良二千石，良之一字深可味也。官箴不外儉勤，至於興利除弊，必當精求其故，毋欲速，毋好名，毋見小利，毋規目前之效，要在與民相安爾。並問古今名宦事蹟，因舉昉溪以對。

母笑曰：溪水既通，即謂此為昉溪也可。人過留名，可不勉乎。麟慶謹受教。

與春同詠

與春同詠

徽州府治在郡城西北，倚雉堞為垣，本宋宣和時之州治也。舊有四寶堂、清心閣諸勝，今俱廢，惟紫翠樓尚存。又浮邱亭一名與春，雖仍其製，實非其地。前守題曰野航，余復易以與春。攷府志載，宋洪适在雉堞上倚古木構亭，今移城下。亭前有玉蘭、海棠各一，牡丹數本，乃倚城壘石為階，翼以朱欄，城頭置石几二，公餘登眺。曾紀以詩曰：衙齋高敞傍城隅，退食登臨興不孤。每為看雲攜靉靆，偶然酌酒問胡盧。萬家煙火徵生聚，一片溪山展畫圖。

自笑書生無治術，迂疎空領六州符。甲申春暮，園花盛放，女妙蓮保年七歲，（戊寅二月生。）手拾花片，牽裾請觀。余至亭，見碧瓊飛雪，不讓蕃釐紅玉垂絲，儼同香國。隨即擘箋製詠，適內子自花間來，見余苦吟，笑曰：已得起聯，因吟云：君本玉堂人，合向花間坐。余亦笑而投筆。時庭前植黃山野卉四鉢：一旌節花，藤作碧華鬖髿瓔珞，一石蘭，一花一葉，穎擢彤霞，一囊環，葉吐單片，花弄雙環，一鵞羣，白潔如鵞，黃蕊作目，形狀尤為奇似。吾母喜而圖之。尋又得宋牧仲尚書（名犖，河南，廕生。）黃海奇葩畫册，凡二十種，此其四也。

古關式隐

古關式隱

徽郡山高水清，靈淑所鍾，聞人代有。余在史館，覩儒林傳所列江氏永、汪氏紱、戴氏震，著述宏富，穆然於紫陽道學之傳，歷今不衰。抵任後，閱趙吉士所修府志，體例雖嚴，不免舛漏。況歷年逾百，亟應重輯。遂商諸程退齋（名道鋭，梓庭制府尊甫。）曹旭岑（名振鏞，儷笙師介弟。）二先生，僉以為然，并言有汪叔辰孝廉（名龍，歙縣舉人。）者，熟諳故實，手輯續志，杜門卻軌，自偶古人。詢知隱居古關，乃禮服乘馬訪之。遥望種桃繞屋，仿佛仙源。一童子應門掃花，遂造其廬。叔辰出所撰毛詩異義及志槀相質，因攜歸，欲作為底本，會奉調潁州，未克開局。叔辰已卒，遂題其槀面云：此歙孝廉汪叔辰所作，凡八卷，首朱子世家，次程、汪二公傳，次列傳，次孝義逸民，次名宦鄉賢，次列女，義例精嚴，考據詳核，然皆自備資斧，煞費苦心，後之有志修輯者，當有以報孝廉也。孝廉子名寶書，府學生，能成父志，存此以告繼守是邦者。因蓋府印還之，並序其毛詩異義焉。又黃郵橋，架木為之，水漲屢圮。康熙間孀婦黃五喜妻何氏，以鬻草履為業，積貲重修，至今堅整。節婦奇行，合并傳之。

古闗式隱

徽郡山高水清，靈淑所鍾，聞人代有。余在史館，觀儒林傳所列江氏永、汪氏紱、戴氏震，著述宏富，穆然於紫陽道學之傳，歷今不衰。抵任後，閱趙吉士所修府志，體例雖嚴，不免舛漏。況歷年逾百，亟應重輯。遂商諸程退齋（名道銳，梓庭制府尊甫。）曹旭岑（名振鏞，儷笙師介弟。）二先生，僉以為然，并言有汪叔辰孝廉（名龍，歙縣，舉人。）者，熟諳故實，手輯續志，杜門郤軌，自偶古人。詢知隱居古闗，乃禮服乘馬訪之。遙望種桃繞屋，彷彿仙源。一童子應門掃花，遂造其廬。叔辰出所撰毛詩異義及志稾相質，因攜歸，欲作為底本，會奉調潁州，未克開局。叔辰已卒，遂題其稾面云：此歙孝廉汪叔辰所作，凡八卷，首朱子世家，次程、汪二公傳，次列傳，次孝義逸民，次名宦鄉賢，次列女，義例精嚴，考據詳核，然皆自備資斧，煞費苦心，後之有志修輯者，當有以報孝廉也。孝廉子名寶書，府學生，能成父志，存此以告繼守是邦者，因蓋府印還之，並序其毛詩異義焉。又黃邮橋，架木為之，水漲屢圮。康熙間孀婦黃五喜妻何氏，以鬻草履為業，積貲重修，至今堅整。節婦奇行，合并傳之。

祁閭勒碑

祁閶勒碑

閶門灘，在祁門縣西南昌江中，江卽大共水也。按：大共水出大共山，東南流合武亭水，徑祁山麓又南合赤溪、椰木嶺諸水，西南流爲路公溪，又西合鱅溪、盧溪、大小港諸水入江西浮梁縣界。閶門一名閶門，寰宇記稱：溪險石蹙，跳波激射，摧艫碎舳，商旅經此，十敗八九。唐書地理志載，灘善覆舟。元和中，邑令陸明開斗門以平其隘，後廢。咸通中，陳令甘節又募民積石爲梁，因山派渠。方輿紀要稱，宋嘉定時，邑令陳過疏導，至今因之。南通江廣，爲徽民運米販茶要道。獨是石門狹隘，迅川奔注，怪石既鑿復生，行舟涉險，乃安一線江流不容並駕，因而長年三老有上下水之爭，祁門浮梁有上下手之見，互訐兇鬬，案積如山。兩省大吏嚴檄會勘，議久不決，蓋至是已七年矣。余抵任，訪知祁門人鄭彩川、浮梁人吳宜婆實主其事，而前署令李書明，山東舉人良吏也，夙得民心，乃密囑親往勸諭。僉云肯讓而未得其平。余乃斷：單日讓上水，雙日讓下水，舟行上水較難，月小則多讓一日。眾論翕服，情願具結，立碑閭門，永遠遵守，因詳銷訟牒四十餘件。廉訪戴春塘先生（名聰，浙江，進士。）批准，大快，遍告僚吏曰：文章本天成，妙手偶得之。吾於麟見亭太守之斷祁門一案也，云然。

桂宴承歡

桂宴承歡

新安郡署紫翠樓前，有桂二株，大可合抱。其西軒又有老桂一，乃六朝物也。幹留半片，皮皺肉厚，秋來著花無多，而古香馥郁，迥異凡葩。甲申八月，余因改知潁州，交卸府篆。先是

仁宗睿皇帝實錄告成，在館諸臣蒙

恩優敘，離館各員止邀紀錄。惟麟慶一人，奉

旨賞加道銜，賜表裏二端、銀五鉼。頒發到徽。謹望

闕叩領，具呈詳請巡撫代奏謝

恩。以表裏銀鉼奉獻吾

母，命鑄銀為七巵，備祠堂祭祀用，以榮
君賜。製表裏為衾，代陀羅經被用，以戴
君恩。時交卸無事，乃張筵演劇，以謝賀客。中秋夕，設家
宴於雙桂之下，月明如水，花燦於金，紅燭高燒，翠
盤疊進，麟慶捧觴為
壽，內子奉箸，女妙蓮保孼榴偎侍膝前。會有致黃山
仙桃者，長子崇實年五歲，庚寅七月生奉以獻吾
母，顧而樂之，命暢飲盡歡。
國恩家慶，人月雙圓，神仙豔福，想亦如斯。

雲門拄杖

雲門拄杖

雲門為黃山三十六峯之一，高八百八十仞。雙峯巉削，相距如門。雲來往，時從中過。余登紫翠樓望之，心怦怦，每為所動。秖以案牘勞形，不遑著屐。八月，卸篆將行，吳子華水部（名文桂，邑拔貢。）贈詩，有黃峯遊未果，吾願暫勾留句。遂決計赴山作別。子華因贈紫芝柘杖為助遊具。銘曰：望雲門兮朝日升，贈君杖兮如階登，餐紫芝兮可長生。適巡司項瑞齋（名國洛，湖南人。）來言曾登文殊頂二次，請為嚮導。乃於二十四日同至潛口，徑楊干寺，渡容溪，由栗岈石壁山洽嶺抵山口接引菴，夜雨止焉。明晨，越石碪嶺，迂道雲門，緣山拄杖，雲影揚瀾，日輪蘊紫，天光海色於斯露奇。俄而霧氣彌漫，十步外僅以聲達。至晚下嶺抵湯口，紀以詩曰：

解綬將辭郡，探奇特地來。蓮峯天外矗，雲海望中開。欲著遊山屐，先尋濟勝才。喜君無俗骨，兩度到蓬萊。其一

相約登高去，肩輿好御風。延緣隨步勝，寂歷覺心空。一曲容溪轉，千盤洽嶺通。晚投山口寺，秋雨正濛濛。其二

早起踰三嶺，山深霧更昏。混茫迷石徑，蒼翠失雲門。靈境無由見，天都不可捫。茅篷當水口，止宿却塵根。其三

硃泉滌俗

硃泉滌俗

余之將至湯口也，煙黛糢糊，渾如潑墨，但聞水聲潺潺。急覓土人導引，三踰小溪，由竹影下尋徑，撞雲而上。抵紫雲菴，叩扉未應，雲已隨來。僧甫啟扉，雲先人入，衣履霑濕。項瑞齋邀余登樓，挑燈閒話。一僧年近八十，煮茗進果，并談黃山龍脈向背甚悉。泉絃溪籟，洋洋盈耳。夜分就寢。曉起至菴門，則見浮雲如濤，高峯如島。山中霜早，秋林繡錦，豔於玉洞花開。菴後一峯，高映朝暉，晶瑩如紫玉，蓋即紫石峯也。旁有石徑，直入雲霄，是為羅漢級。方欲攬勝登高，忽山霧迷濛，咫尺莫辨。遂尋藥銚溪，東至硃砂泉，其泉濆沸　熱，出峭壁下，色微紅，清鑑毛髮，上有片石凸出如厂，可避風雨，若為浴者作天然室。石罅又有冷泉下注，溫涼劑和，池水約深三尺，底盡軟沙，能去垢膩。余解衣試浴，汗溢毛孔，已而愾然，霍然如酲斯析，如痞斯解，拍浮久之。浴罷，風於亭，飄飄欲仙矣。乃續前三作，又紀以詩曰：

排闥隨雲入，支牀最上層。抒情僧獻果，話舊客挑燈。山說羣龍走，泉聽萬馬騰。新安冠蓋客，到此幾人曾。

其四

曉起霧仍合，登臨興惘然。無從尋藥銚，且

喜試湯泉。澡雪忝寒暖，還丹悟汞鉛。靈砂如有識。

應結再來緣。其五

慈光問徑

慈光問徑

八月二十六日，余既浴湯泉矣，覺神爽骨輕，步履矯健。乃沿溪右折，入桃花源，瞰白龍潭，過虎頭巖，渡斷凡橋，尋徑百折，小憩辨源亭，沿山看松，鬱翠蒼古，橫卧倒挂，不可名狀，遂抵慈光寺。寺原名朱砂菴，前明萬歷間，普門大師駐錫開山，輦慈聖太后所賜四面滲金佛塔，構殿焚修，今漸荒寂。余入寺，禮佛瞻塔，計高二丈八尺。旋至君子亭，觀木蓮，樹葉似枇杷。問之主僧，曰：花瓣九出，間數年一開，狀與芙蕖無異，洵西土奇葩也。登高四望，則見青鸞峯頂破石松盤拏作勢，打坐石對老人峯，傴僂生姿。仰視天都，半隱雲際，蓮華蓮蕊，均在其右，惜為薄霧所遮，正如鏡中花影。有僧松青者，指言：天都蓮華之間為勝蓮峯，普門師開一道場曰文殊院，蓮華峯頂有石厂曰不立名字厂，天都峯頂有石室，紫雲護之。又有音樂鳥，千百為羣，飛鳴自合節奏。院前有蒲團石，趺坐其上，時聞旃檀，且有白猿元鹿之異。余聞而神往，爰續前作，紀之以詩曰：

一洗紅塵退，珊珊俗骨香。撥雲穿險徑，拄杖問慈光。練白飛新瀑，林紅挾早霜。前朝樓閣在，金碧總

滄桑。其六

僧說文殊座，奇峯面面殊。紫雲籠石室，青靄拱天都。鳥語仙人樂，花香古佛鑪。指陳聽一一，未必盡虛無。其七

[illegible]

始信峴松

始信覷松

余聞松青之論，决意往遊。松青言：路險，非海馬不可。海馬者，土人之善於登山者也。乃急覓海馬二，舁輿以行。約四里餘，忽抵一洞，直豎木梯，遊者須舍輿攀緣而上。仰視上口，白絮堆滿。衆呼曰：雲封，不可登矣。須臾，雲下，但聞風激松濤，與鍊丹泉水聲相答。因趨一陡坡上，遥見一峯，上豐下鋭，浮出雲表，青翠飛舞。最上有石室，前立二客，仙乎，人乎，不可知也。又見一峯，有松踞頂，舒蓋橫臂，鱗甲鬚髯，居然作衆松隆準。松青指曰：此始信峯，此擾龍，帝松也。余歎觀止。會暝煙將合，亟乘海馬回紫雲菴，松青隨行，因倦酣卧。天乍曉，松青呼曰：晴矣。急起，同至菴前，煙霏雲斂，天高日晶，仰望天都，尊特無二。蓮華峯疊瓣叢鬚，儼如敷萼。蓮蕊峯肩隨其旁，花心苞固。鉢盂峯狀若覆鉢。朱砂峯純骨無膚。獅子峯吞霞昂首。石柱峯刺日撐霄。至是，計三十六峯已見其半矣。因藉草趺坐，靜玩久之。俄而曉風蕩霧，若不肯盡示靈奇者，乃揖山而返。又續前作，紀之以詩曰：偏我無緣上，雲封梯莫攀。翠濤松謖謖，丹液響潺潺。怪底都稱海，翻疑未到山。倦遊

歸寺去，辜負叩仙關。其八

一枕遊仙夢，山僧喚客醒。當窗輝霽色，拾級望雲屏。石筍重重翠，峯蓮朶朶青。瀕行全示我，多謝此山靈。其九

芳村獻茶

芳邨獻茶

余既回菴，飯罷將行，重至硃砂泉上，徘徊不忍去。松青送過湯溪，致主僧意，贈雲霧茶、五光石，受而答以餅金。下宿謝氏祠，山農言近多虎患，上年徙去。又石門峯下有巖，為猿穴，秋來尤多。翌辰早行，抵芳邨，果見羣猿交股連臂，狀如巨綆，下飲於溪，攀藤緣木，嬉嘯窺人。比至邨，則地勢坡陀犖确，濬岸相錯，人家略彴拒門，疎籬阻水，半在煙嵐雲氣中。天容泬寥，遊塵不到。乃駐肩輿，小憩樹下。有老婦年七十餘，指問輿夫曰：官為誰。答曰：府太爺。又問：是姓鱗否，答曰：然。亟回家，烹茶來獻曰：小婦人有子被案牽連，受累數年矣，去年太爺到任，得雪，今幸瞻仰，願代謝。遂叩首。余命之起，啜其茶甚香，蓋新采也。已而緣溪渡嶺者再，是為谼中問汪司馬道昆園，黃葉自飛，白雲不掃，已無遺跡。行數里，見鄭石二字尚絡蘿薜間，字以人傳矣。晚宿潛口水香園，乃八月二十八日也。又續前作，紀之以詩曰：轉瞬霧仍合，歸途逸興賒。山農談舊事，老婦餉新茶。囊重因攜石，衣香為染霞。感君風雅甚，相伴路忘遐。其十前後十章，即書以贈項瑞齋焉。

練浦攀轅

練浦攀轅

練浦合布射揚之富、資、豐、樂四水，匯注郡城西南，平衍停蓄，竟川含綠，有石梁如虹，橫跨清波，西干橋也。有樓巍然，峙於其西，有亭翼然，臨於其上，與唐十寺踞於南阜，雲峯塔影倒射中流，而長堤弱柳，映帶城郭，循瀾進艇，如行鏡中。稍下爲漁梁，則亂石深流，迴異斯境。昔梁武帝謂徐摛曰：新安大好山水，可以卧治。唐權德輿送陸歙州序云：新安有佳山水以資勝餞，洵不誣也。甲申秋九月初二日，余將之潁，甫出徽城，父老羣拜馬前，乃亟下馬慰勞。自西干之巖鎮，凡二十里，酒果香花，肆筵夾道，且爭稱觥相祝。余感其意，各飲少許，已而顏如渥丹，不勝酒力。士大夫又出練浦攀轅圖相贈，圖爲巴秀才（名昌，邑人）作，共詩六十首，揚詡謳吟，慨然投贈，至今藏之篋衍。深慚虛譽，答以二律，其詞曰：香筵滿設西干路，阻我旌旗去去遲。父老馬前爭進酒，師儒雁序各呈詩。黟山練水縈離思，紅葉黃花惜別時。自是此邦風俗厚，非關太守有恩施。（其一）銅符坐領一星周，自問無才樹遠猷。耆宿有書曾訪訂，山城闕典未興修。他時千里懷名郡，此日雙旌

指信州。欲去依依留不得，倍增惆悵對前騶。其二 尋

重修府志，郡人士公議刊此二詩，以傳永久。

桃谷奉輿

桃谷奉輿

余之改知潁州也，眷屬由水路，迂道赴任，吾母愛新安山水，命取道大洪嶺，乃奉板輿，親乘馬為導，日以指陳古蹟，詳述名勝，仰博歡心。九月初三，過休寧，望齊雲巖，翠屏插天，丹宮映日，祇以簡書期迫，不克再登。初四，抵黟境，其地山率環谷，水率注溪，谷窮復入一谷，山與谷如堂如防，旋相宮又相別也。溪水清激如矢，文石錯落，深淺見底，再折再轉，至小桃源，田土沃衍，桑麻鋪棻。東有樵貴谷，相傳曾有土人入山，行七日，至一處，廓然開朗，周三十里，黃髮垂髫，怡然自樂，殆亦秦人之流歟。其西為墨嶺，嶺出石墨。連嶺水中有方石，曰潯陽釣臺，唐李白來遊，曾釣於此。晚宿漁亭。

初五，入祁門境，一路緣溪尋嶺，密竹如雲，好山無數。吾

母曰：新安大好山水，到此益信，洵不虛是行矣。晚宿雙翼流郵，有老儒許森率子弟六人來迎，款曲周摯，且以大洪嶺險峻為戒。因紀以詩曰：轉入祁門山徑中，板輿奉

母路盤空。修篁接樹添濃翠，敗葉經霜作淺紅。石骨

崚嶒知地險，溪毛蔥蔚識年豐。耆儒送別殷勤語，
珍重來朝過大洪。

頴川靖盗

潁川靖盜

潁川古名汝陰，按經，山南曰陽，水南曰陰。今汝在郡南，故鳳陽志直以為誤。余到任後查勘，始知在郡西南朱皐鎮入境者，汝寧之汝係支流，而在河南周家口合潁入境者，汝州之汝，實經流，則郡名汝陰也固宜。特風俗剽悍，捻匪叢集。時屆仲冬，余親赴西鄉巡閱，知千總徐華清，亳州武舉。從九李暢，江蘇吏員。縣役龐思、謝萬、馬勇，府役姚詩長於緝捕，均攜之行。得除害有心憐馬瘦，畢場無事愛牛肥。又卅年殺運銷殘燭，一片雄心看寶刀。等句。會大風雪，遂冒雪至岳家寨，其地為道光二年教匪邢名章作亂處。剿滅後，居民未敢復業，乃親入投首人岳桐家，喚邨衆曉諭。尋偵知，逃盜魏石柱潛匿附近韋家寨。有武生韋子定者，派近任俠。親至其家，勸令捕盜自效，解佩囊賜之。子定用命，後果偕麗思縛魏石柱以獻。又聞，太和境地棍楊振綽號金頭蜈蚣，開場聚賭。親往掩捕，繫之而歸，枷示通衢，頗民稱快。越歲，余遷河南陳許道，會上蔡人議開沈項河道，放康家坡湖水入汝。潁人素受水患，聞而大譁，紳士鹿啟烈、舉人，今官知縣。劉叔琪歲貢等赴豫瀝訴，有豈敢以舊屬私情，乞仁君偏愛等語。而余因於潁屬水道，曾經講求，知不可開，先行批駁。潁民録批喜甚，刊入阜陽縣志焉。

上南搶險

上南搶險

道光乙酉，麟慶年三十五歲。正月，接准部文，知十一月奉
旨，升授河南開歸陳許道。先是，
詔督撫各舉賢員。孫寄圃先生（諱玉庭，山東濟寧人，乾隆乙未進士，時以大學士總督兩江。）以余薦，註考曰：辦事精勤，見解敏速，人亦能知自愛。陶雲汀先生（諱澍，湖南安化人，嘉慶壬戌進士，時官巡撫，後晉總督，加太子少保，卒謚文毅，入祀賢良祠。）亦以余薦，註考曰：年富才明，辦事勤幹，加以歷練，可期重任。兩摺不期而合，故邀

恩擢。旋交卸潁州府篆，二月抵豫。方余未到之先，
上以非河員出身，寄諭督撫查看，如不勝任，立即奏調。
豫撫　程梓庭先生名祖洛，安徽，進士，後晉總督。先復稱：麟慶
尚未到任，但該員曾任徽州府，臣籍隸徽州，素稔
其明敏通達，盡心公事，官聲甚好，度必結實可靠，
如議另調，不特豫省無人，即附近各省道員中，屈
指實難其選。比過桃汛，河帥　張芥航先生諱井，陝西，進士。復奏：麟慶於修防事理，處處留心，每有議論，明
白正大，才力聰明，於現在道缺勝任有餘。尋奉
硃批：果能如是，朕心何等嘉悅。嗣後若稍變遷，斷不可

迴護前言，總要還朕一實字，毋誤國事為要。欽此。麟慶深愧虛聲，倍勤修守。逮秋汛上南核桃園報險，余聞而馳往。自八月十六至二十九，凡十三晝夜，躬坐危堤，督搶平穩。有「眼前都是傾危地，身外全成浩渺天」句。至今思之，猶深凜凜。時襄斯役者，張心階（名坦，江蘇監生，後官道員）。羅藹亭（名綬，江蘇貢生，後官知府）。吳雲巢（名鶴，甘肅，拔貢）。三司馬也。

江宁国经图言

義陵謁聖

羲陵謁聖

太昊伏羲氏陵，在河南陳州府淮寧縣西北三里許。隋以前無攷。唐貞觀時，始禁樵採。宋乾德四年立廟，祀以太牢，元明因之。

國朝載入祀典。乾隆十年，奉
旨重修陵城。墻高九尺，袤六百丈，規模壯麗。前有池曰白龜，相傳即蔡水得書處。有臺曰八卦，元和志謂始畫八卦處。丙戌孟夏，余赴鹿邑，查辦教匪王會隴案，便道至陳州巡閱，爰偕邑令永雲樵名銘，滿洲舉人，今官知府。恭謁陵廟，瞻仰靈蓍，肅然生敬。比回寓，有客謂史記注稱伏羲葬南郡，又稱冢在山陽高平西，且疑龜書出洛，並非蔡水。八卦本於河圖，何以舍圖取書，而曰得龜畫卦，遂皆指以為偽。余曉之曰：上古文字未立，一畫開先，伏羲風姓，生於成紀，以木德王，而都於陳，開物成務，制器致用，為五帝首。今滄桑變遷，宛邱之陵巍然獨存，且聖人作易，幽贊生蓍，靈草挺翠，與龜池卦臺輝映高深，俾

先聖遺蹟，昭垂千古，不亦美乎。又何必固執考據家言，

自矜淵博哉。因吟曰：當時觀象無

先聖，萬古鴻濛孰劃開。自龜圖懸日月，至今蟲篆走風雷。靈蓍秀啟三朝策，古柏香生八卦臺。渾噩依然存太極，豐碑翻笑費鴻才。

蘇門詠泉

蘇門詠泉

蘇門山，在河南衛輝府輝縣西，百泉在焉。其最著者，曰搠刀，曰湧金。一爲唐薛仁貴所開，一爲宋蘇東坡所題，出而濟運，是爲衛河。丁亥冬，余攝臬篆，適京兵征回疆凱旋，道經河朔，親往照料。大雪初霽，路出共城，邑令周石藩（名際華，貴州，進士，後官同知。）請曰：百泉爲中州勝地，去此不遠，盍往觀乎。允之，即行。過水南邨，比及泉上，日已晡矣。乃宿白露園萬竹廬中。翌辰，躡蘇門山，登嘯臺，尋安樂窩，謁衛源祠，臨百泉書院，憩清輝閣。百泉觱沸出山下，清鑑毫髮，朗映空明，都非人世。因思海内名泉，見於三百篇者，泉源稱最，且詠柏舟而思共姜之操，歌淇澳而懷衛武之風。洎乎晉、宋以還，孫登隱此，阮籍過之。歷千餘載，寂無嘯聲。宋李之才攝共令，邵堯夫從而受易，築室於斯。其後姚公樞、許公衡、竇公默相繼至，而耶律公楚材來居水南。

國初孫夏峯先生講學躬耕，聞人代起，所謂伊人在水一方，庶幾其一遇乎。爰題八律，其一云：雪晴臨衛水，尋路過共城。民氣此中古，泉源分外清。孕靈瀓碧落，利濟到蒼生。寄語巖居者，休徒羨濯纓。餘七首，石藩均以為可存，索稾勒石，並囑製重修部子祠序，刊碑泉上焉。

洴澼百緒匡言

大梁補梅

大梁補梅

河南地處天中，水甘土厚，所產花果之最佳者，如洛陽牡丹，河陰石榴，商邱木瓜，南陽甘菊。竹木之最古者如淇川衛竹，滎陽秦槐，登封漢柏，新野晉楸，均昭昭在人耳目。獨梅最難活，葢緣大梁近河多風，土性斥鹵之故也。宋徽宗曾移江南梅千株植艮嶽池旁，名梅渚，旋盡萎。錢藻尹開封時，後衙產蠟梅一，因以為瑞，建梅花堂。元耶律楚材隱居百泉，沿溪種梅終未成，空號梅溪而已。丙戌九月，余次子生，吾母命名曰崇厚。曹州雍丞（名煒桐，順天，貢生。）致盆梅四以為賀。花時，適余出防凌汛，歸見蘇客蔡林山（名天培，四川，貢生，後官同知。）程生伯廉（名奕鍔，安徽，生員。）聯吟之作，因占三截句曰：古榦槎枒著蕊新，春生官閣靜無塵。連朝奔走河干路，應被梅花笑主人。（其一）歸來剛是一旬周，喜見新詩妙唱酬。如此名花如此客，勝他何遜在揚州。（其二）一簾晴雪釀春寒，尚有雙株蕊半攢。自是花神深護惜，多情留與主人看。（其三）尋課童移置庭中，逾夏竟枯其三。丁亥歲杪，紅梅著花數枝，公餘攜子女坐觀，因顏其齋曰補梅。

中嶽升香

中嶽升香

戊子春，例應巡撫秩祀

中嶽嵩山，時　楊海梁先生（名國楨，四川，舉人，後晉總督，襲一等侯。）以事繁，檄余代行。取道密縣，過盧巖，抵嵩陽黃蓋峯下，齋宿陟方館。三月二十五日，恭詣

中嶽廟致祭。謹紀以詩曰：天地此居中，苞符縕靈妙。偶體象坤形，二室分太少。峻極（殿名）勢獨尊，六十峯環繞。（太室卅四，少室卅六。）黃蓋據東南，融結開寢廟。漢唐侈登封，宋元尚清醮。前明洪武初，釐正崇位號。我

朝駐翠華，（乾隆庚午年，高宗巡幸，撰文致祭。）璀璨

天章耀。九子殿巍峩，瑞雲時籠罩。今我奉香來，塡臺設庭燎。肹蠁肅冠裳，合漠期感名。古柏鬱濃香，靈風噓衆竅。幕動儼來臨，撰文親祝告。誠代守臣通，福爲豫民造。歲稔而河恬，年年無旱潦。萬歲祝吾

君，更願三呼效。祭畢出西華，門名太室晨光曜。禮成，偕邑令曾葆初名際虞，江西進士，今官同知。乘馬過崇福宫，瞻啟母石、闕銘渡、逍遥溪，抵嵩陽書院。衆生迎謁，遂同登耿逸菴先生名介，已進士，官少詹講堂，謁道統祠，揖漢柏，大者圍七人，枝葉紐轉俱離向。次圍五人，榦老枝垂。或曰，大象風，次象雨。本五株，今存者二。尋出門，觀

唐徐浩隸書嵩陽觀碑，蓋寺建於元魏，唐麟德間改為觀，前明侯令泰始建書院，今仍之。

少林校拳

少林校拳

余既攬嵩陽之勝，乃走馬至善會寺，飲龍贈泉，觀唐僧一行所建戒壇，元僧溥光所書茶榜。迺越石屏嶺，至少林寺。寺當少室北麓，五乳峯隈，龍象如山，古碑林立，殿額寶樹芳林，

聖祖仁皇帝所賜也。寺本北魏孝文帝為僧跋陀建。隋末王世充作亂，寺僧拴之，獻於唐，太宗手教旌獎，給栢谷田，至今寺僧矜尚白棓，蓋沿唐舊云。後殿有達摩影石，高三尺，廣半之，中隱一僧，側坐，鬚眉畢現，衣紋如淡墨，愈遠愈真。世傳面壁時，精神所徹。

本在峯頂石洞中，後奉
旨移此。觀畢，登山，至初祖菴，玩六祖手植柏。按佛書，西天已有二十七祖，達摩航海而來，謁梁武帝，不合，折蘆渡江。元魏時，在少林面壁而坐者九年，謂之壁觀，實為中土初祖。晚回少林寺，謁緊那羅殿，像甚雄偉，著單衫，持火棍，傳曾顯神禦寇，今為本寺伽藍，禱之輒應。因問僧拳法，諱言不解。諭以少林拳勇，自昔有聞，祇在謹守清規，保護名山，正不必打誑語。主僧笑諾，乃選健僧校於殿前。熊經、鳥伸，果然矯捷。閱畢，僧退。坐對少室三峯，如青玉案，林陰山靄，青翠蓊鬱，形神俱靜，因止宿焉。

萬安謁墓

萬安謁墓

謹按河神之懋膺

封號，列在祀典者凡三，一曰

金龍四大王，姓謝，諱緒，行四，南宋諸生，殉國難，歿而為神。以生時讀書金龍山下，故有是稱。一曰

朱大王，諱之錫，順治丁亥進士，官河道總督，鞠躬盡瘁，歿而為神。二王均浙江人也。

黃大王則河南偃師人，諱守才，生而為神。年七歲，即乘鳧飛上緱山，曾焚符而止沁溢，祝天以救杞災。送周王於金陵，三時即返。捲党柱於荊口，一埽成

功。康熙間，自擇葬地於萬安嶺，離山坎向，謂子孫曰：余生未受封，死當護國。嗣是屢著靈異。沿河居民，比戶尸祝。乾隆三年，

勅封靈佑襄濟王。嘉慶二十五年，

加號顯惠。道光八年三月二十六日，余由少林寺取道轘轅關，尖參駕店，客言：此去西南為萬安山，

黃大王墓在焉。余聞而致誠命駕。忽陰雲四合，客請緩，余不可。甫出門而雨至，行十里抵萬安鎮，雨甚，從者咸有止意。余易輿以馬，至九龍口，渡休水，又二里，至嶺下，石路險仄而滑，鼓勇徑登，詣

王墓前，撮香石鑪，拜謁如禮。雨頓止，若試余之誠意者。須臾風來，松濤謖謖，雲淨天空，遙望大河前橫，伊洛交注，九峯後擁，蒼翠如沐。低徊者久之，比下山，有王七世孫承祜來謝，并呈家傳焉。

伊闕證遊

伊闕證遊

余之在萬安嶺也，遥望西北，兩山中闕如門，一水激練，横貫其間，羣指為伊闕，俗稱龍門，一曰龕澗。既而日影騰輝，金碧交映，則石窟、香山二寺也。遂決意往遊。乃下嶺，仍宿參駕店。二十七日早行，過緱氏嶺，望昇仙太子廟，笙鶴縹緲，孤峯古刹，丹翠凌虚，令人神往。午抵伊河，郡守存心舟人（名業，漢軍人，今官道員。）來迎，同至香山，登樂天堂，閲白太傅手書長慶集，不可得。乃觀汪士鋐九老記墨蹟，得漫道靈巖歸釋氏，從來勝地屬詩人句。心舟邀余泛舟伊闕，翠巘清流，別饒逸致。東詣石窟寺、賓陽洞，寶相莊嚴，雕鏤井藻，滿地徧琢金蓮，雖屢經劫火，半就剝落，而窮工極巧，不知當時耗多少物力，實為惜之。晚宿石樓，乃以一勺寒泉敬薦

程子。二十八日，再泛舟闕下，遂入洛陽。心舟招飲府署，憶昔乾隆乙卯，

大父攝篆斯郡，麟慶年五歲，侍官來遊，今已三十三年矣。因紀以詩曰：憶昔髫齡屢往還，卅年不到此堂間。陰森猶認庭前樹，淡遠仍浮郭外山。漫道青

箱綿

祖德，已將烏帽換童顏。人生如寄誰賓主，杯酒匆匆意自閒。

洪咨夔經筵言

柴壩巡春

柴壩巡春

柴壩在蘭陽城北，河流至此一束，為開歸道屬，頂衝險工。其餘各工，則因河係坡河，土多沙土，上提下坐，隨溜變遷，桃、伏、秋、凌，巡防綦重。余在任五載，從未有一汛不周歷者，因各紀以詩。桃汛云：漲暖桃花閱茨坊，金堤宛轉東流長。垂楊遥映春旗綠，秀麥低連汛水黄。竹箭波翻飛羽急，皮冠人到獻獾忙。書生自問無長策，仗節深慚服豸章。伏汛云：風輪火繖日無休，來往通堤大道頭。黄綻野花延馬路，綠分細草襯龍溝。關心水勢逢金旺，屈指星期近火流。荻亂荳花（汎名）將次到，先時修守費前籌。秋汛云：節交白露又巡行，秋水瀰漫望裏平。搜底不同桃浪暖，蒼灘已見荻苗生。長堤梭織勞參佐，列堡環排肅弁兵。傳語通工休玩愒，大家踴躍待霜清。凌汛云：河冰凍合朔風麤，策馬周巡歷舊途。夾岸積凌全漲白，沿堤插柳半塗朱。橋排雁齒參差桂，埽比魚鱗上下鋪。豫祝安瀾慶來歲，殷勤修守勗兵夫。先是，河帥　嚴小農先生（名烺，浙江錢塘人。）於七年安瀾摺內附片，奏稱麟慶才識兼優，經畫周詳。且鼓勵有方，人爭用命。一聞下北報險，立即撥發柍纜銀錢，派員調兵，協同搶護，尤屬克顧全局。

云云。至今憶及，惟有盡職宣防，仰報

君恩，即有以對薦主耳。

吹臺訪古

吹臺訪古

吹臺在開封府宋門外三里許，以師曠得名。漢梁孝王增築之，曰平臺。九域志稱繁臺，後建禹廟於上。明李夢陽有碑。康熙二十三年，

聖祖頒功存河洛額，恭懸正樓。殿右三楹，附祀秦漢以來治水有功者二十九人，祠曰水德殿。左三楹，附祀唐高適、李白、杜甫，祠曰三賢。均前明時建，歲久漸就荒落。道光丁亥，吾母捐資，略加修葺，命廟祝偏栽桃柳，囑奉祀生繞程子祠植柏百株。越二載己丑，葱鬱可觀。乃於上巳

幸眷屬同登其上，風日晴暢，子女歡嬉，吾母顧而樂之。思汴梁古蹟，以明末水湮，故夷然蕩然，幸斯臺巍然獨存，與繁塔相映，於是巡廊徧閱石刻，入祠詳攷木主，并命麟慶核議。因查三賢祠後，人曾增祀李空同、何大復、高青邱，無可再添。惟水德祠尚有前明宋公禮、袁公應泰、國朝朱公之錫、靳文襄公輔、陳恪勤公鵬年、嵇文敏公曾筠、雅公爾圖、胡恪靖公寶瑔應入，乃具詳嚴小農、楊海梁二先生，批允增祀。因題楹帖曰：自夏而來，四千餘歲，經多少滄桑變易，全資人力維持，配食當馨百世祀；由周以降，二十九臣，溯後先水土焦勞，共助神功保障，精禋新奉八賢升。又題三賢祠楹帖曰：一覽極蒼茫，舊苑高臺同萬古；兩間容嘯傲，清風明月此三人。

蘭館

寫照

蘭館寫照

開歸道轄黃河南岸八廳，以蘭陽爲適中地，設行館於十四堡，大汎每駐防焉。余初到，見行館背河負堤，四無陰木，乃課種柳。越五載，己丑，綠影毿毿如雲矣。因吟云：防河心事等防秋，十日歸來得少休。一室幽香蘭氣馥，半窗綠影柳絲柔。腹中俗滿無書曬，面上塵多爲鏡羞。指點新圖懷舊事，不須投筆覓封侯。蓋時有門人汪春泉，自丁亥歲來參幕務。春泉精繪事，公餘每詳述舊遊，倩創一稾，積三年，得七十八幀。揖之曰：如此大緣，不可不紀，請補圖為殿，并寫照冠之。正擬按圖自記，會是秋蒙恩擢河南按察使。既而藩黔，撫楚，讀禮入京。癸巳八月，又奪情來浦。越今丙申，防河，鮮暇，茲已服闋瀾恬，乃展圖製記焉。春泉名英福，江蘇碭山人也。付梓後，越八載甲辰，余奉使汴梁，憶同駐蘭館諸友，如黄曉池、（名崇曜，浙江，布衣。）李桐階、（名秉彝，江蘇人，官通判。）吴蒔香、（名全陛，江蘇，雲騎尉。）程方雨、（名鼎，浙江，廩生。）陳榕村、（名汝錦，福建，監生。）趙甦生、（名員復，浙江，雲騎尉，官吏目。）王起山（名濤，浙江，生員。）均歸道山，惟楊簡哉（名懷，浙江，職員。）年八十二，尚健，談及舊遊，知多失載，力勸補記，以證鴻雪。因重加增輯刊之。此外，前後客吾幕者，為賈予霄、名鵬程，江蘇，舉人，官教諭。顧華川，名夔臣，江蘇，生員，官典史。高鑄生、名鎔，浙江，副榜。曹蔭南、名福榕，安徽人，官州判。武悔堂、名四鐵，安徽，布衣。廖禹卿、名壽孫，江蘇人，今官經歷。孫式軒、名栻，江蘇人，官典史。張溥泉，名濬，順天，監生，今官知縣。惲晴川、名際美，官典史。叔軒、名煥，今官巡檢。二外弟，章甥彭如，名炳康，順天人，官主簿。合并誌之。

鴻雪因緣圖記後跋

吾
師見亭先生，少年科第，歷中外，校書掌誥，分岳潤河，其茂實英聲，宣猷布化，赫赫在人耳目。間而又性耽風雅，北轅南柁，登涉所經，每不憚探幽選勝。三十年來，
君恩
祖德，
宦蹟游蹤，靡不誌其實事，傳爲美談，不朽盛業，於斯略見一斑。戊戌冬初，吾

師以汪君春泉所繪圖册見示。始自幼歲讀書以至觀察中州，凡七十有八幀，寫貽冠之，補圖爲殿，共得八十圖。每圖各製一記，裝成四册。國佐伏讀數四，因之有感焉。今夫世之蹇質蹉跎、奇才坎坷者無論已，幸而雲霄得路，高步驊騮而皓首成名，往往服官之不及，即或平人折桂，綴組扶珪而俸薄秩卑，下僚屈處，此雖抱負宏通，又何從而展其經濟乎。若夫登高賦詩，臨流懷古，遇海内名勝之區，搴窺衆芳，吞討萬象，則惟避俗幽人，超塵逸士，庶可以煙霞問訊，風月相知。至於名公鉅卿，或爲事

所牽抑，或非性所嗜好，求其雅人深致，遊目騁懷
者鮮矣此無他，詩酒有夙因，邱壑有前緣，誠非可
强而致耳。今觀吾
師之鴻雪因緣圖記，始知慧業本於性生，巍科由於
學植，克家則紹
清芬，華
國則膺
寵遇，占鳳閣而踐蓬，佩魚符而分竹。揚虎旌龍節之威，
洽時雨歲星之望。最可羨者夙禀知仁之懿德，得
尋山水之閒盟，嘯歌仰岳牧詞人，臨眺徧神仙福

地，斯眞一代之名臣，不愧千秋之韻事。國佐素沐
春風，久叨愛日，既深欽佩之忱，尤切流傳之念。立
功者不廢立言，榮世者更徵壽世。爰請於吾
師，先錄此圖記八十篇，編次成帙，付諸梓人，是爲鴻
雪因緣之首卷。逮藩黔撫楚，駐節南河，其德政之
昭垂，文章之紀載，繼此者正有加無已也。國佐更
願續而刊之。謹跋。

道光十有八年仲冬之月受業王國佐拜撰